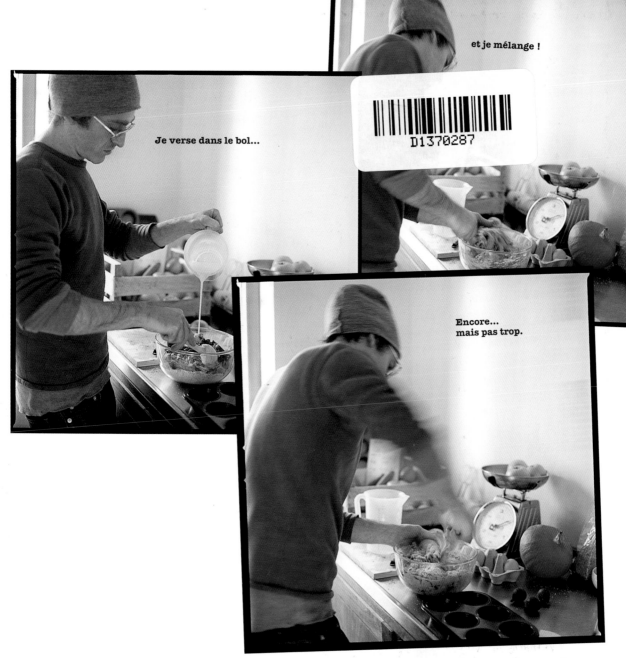

Je verse dans le bol…

et je mélange !

Encore…
mais pas trop.

… À SUIVRE

PAS FACILE DE TROUVER un bon muffin !

Au risque de paraître légèrement narcissique, je dois avouer que je n'ai Jamais vraiment aimé les muffins préparés par les autres.

Je pense qu'on attache trop d'importance à leur apparence. Ils ont beau avoir la bonne forme et une croûte appétissante, quand on y goûte, il ne se passe rien... On trouve une pâte sèche au goût sucré. « Je me suis encore fait avoir ! »

Alors **après des années** à me lamenter sur la vie difficile des **amateurs de muffins**, je me suis dit qu'il était temps de faire quelque chose : soit j'arrêtais de me plaindre, soit je passais à l'action.

Je n'ai jamais pris de cours de cuisine et je ne prétends pas avoir une quelconque autorité en la matière, mais je sais par expérience qu'il faut accepter de faire des erreurs... Dans ce livre, je vous propose **les meilleures de mes recettes** de « bons muffins ». Des muffins qui ne sont pas que beaux à regarder. Des muffins qui sont toujours bons, chaque fois que vous les faites.

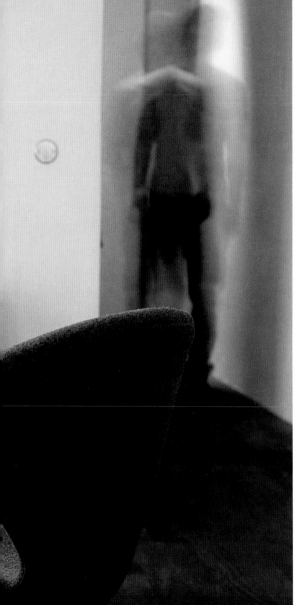

MUFFINS

LES RECETTES DE BOB

Marc Grossman
Photographies de Akiko Ida
Stylisme de Sophie Glasser

LA CARTE DES MUFFINS

LES CONSEILS DE BOB

SOCRATE DISAIT : « IL FAUT MANGER POUR VIVRE ET NON PAS VIVRE POUR MANGER ». D'ACCORD, MAIS QUAND MÊME, JE TROUVERAI ÇA BÊTE DE PRÉPARER DES MUFFINS BONS POUR LA SANTÉ MAIS QUE PERSONNE NE VOUDRAIT MANGER. JE PENSE QU'IL FAUT QU'ILS SOIENT LE PLUS SAINS POSSIBLE MAIS SANS RENONCER AU PLAISIR. ET J'AI TRÈS SOUVENT CONSTATÉ QUE CE QUI REND MES MUFFINS MEILLEURS POUR LA SANTÉ C'EST AUSSI CE QUI FAIT QU'ON LES APPRÉCIE. EN GARDANT CELA À L'ESPRIT, VOICI QUELQUES INFORMATIONS SUR LES INGRÉDIENTS QUI POURRAIENT VOUS ÊTRE UTILES.

FRUITS

Tout le monde le sait, manger beaucoup de fruits est bon pour la santé. Mais plus un fruit est cuit, plus il est pauvre en nutriments. Pour pallier à ce problème, je procède comme suit : je fourre les fruits au cœur du muffin, là où la température monte le moins, et j'utilise de gros morceaux de fruits, quand cela est possible, pour éviter qu'ils ne soient trop cuits. Et je mets beaucoup de fruits. Vraiment beaucoup même ! Le plus possible, tout en faisant attention à ce que le muffin ne s'effondre pas. Je fais en sorte de ne pas avoir à choisir entre bon pour la santé et bon au goût !

MATIÈRES GRASSES

Tout d'abord, je dois vous dire que j'aime le beurre, comme la majorité des gens. Sur une tartine de pain, un pancake, des pommes de terre chaudes, des pâtes. En réalité, je mets du beurre partout, et je ne me sers jamais de produits appelés « substituts de beurre ». Cependant, je me suis rendu compte que le beurre n'est pas toujours le meilleur ingrédient pour faire des muffins. Je préfère souvent l'huile de tournesol. En plus d'être meilleure pour le cœur car c'est un lipide polyinsaturé (contrairement au beurre qui est un lipide saturé), elle permet d'obtenir des muffins bien moelleux. En effet, l'huile végétale enrobe mieux les protéines de la farine que le beurre, ce qui évite qu'elles produisent trop de gluten et assèchent le muffin.

FARINE BLANCHE OU FARINE COMPLÈTE

La plupart des recettes proposées dans ce livre sont à base de farine blanche classique ou de farine de type 65 (farine de blé semi-complète). La farine non raffinée est une excellente source de fibres, vitamines et minéraux. Malheureusement, la majorité des nutriments du blé sont perdus au cours du processus de production de la farine blanche, quand le grain de blé est séparé du son et du germe. La farine de blé complète, elle, est fabriquée avec le son et le germe riches en nutriments. Le problème, c'est que les muffins fabriqués à base de farine complète ont tendance à être trop compacts, c'est pourquoi je préfère utiliser de la farine de blé semi-complète de type 65, plus riche en nutriments que la farine blanche, et qui donne des muffins légers. À vous de choisir ce que vous préférez.

UN BON MUFFIN c'est...

UN GÂTEAU EN FORME DE DÔME BIEN GONFLÉ, CRAQUELÉ ET BIEN DORÉ, UNE « PEAU » BIEN COLORÉE, MAIS PAS BRÛLÉE, SUR LES CÔTÉS ET LE DESSOUS (SAUF S'ILS SONT DANS DES MOULES EN PAPIER) ET UNE PÂTE MOELLEUSE ET LÉGÈRE, AVEC PLEIN DE FRUITS OU D'AUTRES GARNITURES.

1 RESTER ATTENTIF.

Préparer la pâte paraît vraiment facile, mais on a vite fait de se tromper dans les quantités, les mesures ou d'oublier quelque chose. **«Stay cool and have fun»,** mais ne vous perdez pas dans vos pensées. **Même si vous êtes un cuisinier expérimenté, revérifier** que vous ne vous êtes pas trompé avant de mélanger les ingrédients, ou, encore plus important, avant d'enfourner vos muffins. Et une fois qu'ils sont au four, essayez de ne pas les oublier. Quand ça sent le brûlé, il est souvent trop tard...

2 NE PAS TROP MÉLANGER...

Ce n'est pas la peine de mélanger trop longtemps les ingrédients, quelques coups de fouet suffisent. Il restera certainement des grumeaux, et ne vous inquiétez pas **si vous voyez encore de la farine sèche** ici ou là. Tout va se mélanger une fois au four. Si vous mélangez trop, vous allez produire trop de gluten et faire sortir le gaz de la pâte. Vous aurez alors des muffins secs et trop compacts. Même problème **si vous laissez reposer la pâte trop longtemps**. Les agents levants, une fois activés par le liquide, laissent échapper leur gaz et sont de moins en moins actifs au fil du temps. Bien sûr, mettre la pâte au réfrigérateur ralentit ce processus, mais le mieux reste de cuire les muffins dès que la pâte est prête.

Astuce congélo : Vous pouvez congeler de la pâte dans une boîte, la décongeler et la faire cuire comme d'habitude ou bien même la congeler directement dans des moules à muffins et les faire cuire dès la sortie du congélateur. Attention, dans ce cas, la cuisson sera plus longue.

3 LA CUISSON.

Si vous voulez de beaux muffins bien gonflés, moelleux à l'intérieur et fermes à l'extérieur, votre four doit absolument être **à la bonne température avant de commencer** la cuisson. Je sais que quand on est pressé on a tendance à ne pas faire attention à ce genre de détails, **«préchauffer le four...»** mais si vous ne préchauffez pas votre four et que vous augmentez donc le temps de cuisson, vos muffins risquent d'être secs. Si malgré tout vous trouvez qu'ils ne gonflent pas assez ou qu'ils sèchent, il faut augmenter la température. À l'inverse, s'ils sont bien dorés et gonflés mais que la pâte n'est pas cuite à l'intérieur, réessayez en baissant la température.

Comme **chaque four et chaque pâte sont différents**, vous allez devoir faire quelques expériences. Le temps de cuisson habituel se situe entre 20 et 25 minutes. Pour vérifier si un muffin est **assez cuit**, c'est comme pour un gâteau : piquez la pointe d'un couteau au centre du muffin. Si la lame ressort sèche, c'est qu'il est prêt. Autre conseil, utilisez des œufs à température ambiante.

CHOCO 100%

JE NE VAIS PAS VOUS MENTIR, CETTE RECETTE N'EST PAS DE MOI. JE ME SUIS LARGEMENT
INSPIRÉ DE LA RECETTE DU SUCCULENT GÂTEAU AU CHOCOLAT DE MA BELLE-MÈRE
FRANÇAISE, À LAQUELLE J'AI AJOUTÉ QUELQUES PETITES MODIFICATIONS POUR EN FAIRE UN
MUFFN, ET QUELQUES GOUTTES D'ESPRESSO... ET POUQRUOI PAS ? MERCI ARLETTE !

ingrédients secs :
80 g de farine blanche
ou semi-complète
1 1/2 cuillères à café de
levure chimique
1/2 cuillère à café de sel
185 g de sucre

ingrédients liquides :
185 g de beurre doux fondu, refroidi
5 œufs, blancs et jaunes séparés
30 ml d'espresso froid
150 g de chocolat fondu, refroidi

Préchauffez le four à 220 °C. Mélangez la farine, la levure et le sel.

Mélangez le beurre, l'espresso et le sucre pour obtenir
une pâte crémeuse, puis ajoutez les jaunes d'œufs.

Montez les blancs en neige. Mélangez la crème beurre-sucre avec
les jaunes d'œufs, le chocolat fondu et incorporez les blancs en
neige, en dernier. Ne travaillez pas la pâte plus que nécessaire.

Versez la pâte dans les moules à muffins. Faites cuire les
muffins 10 à 15 minutes jusqu'à ce qu'ils soient bien gonflés
mais encore un peu mous au toucher. Ces muffins doivent être
bien moelleux, faites attention à ne pas les faire trop cuire
et n'oubliez pas qu'ils vont se solidifier en refroidissant.

MYRTILLE extra moelleux

QUAND VOUS ENTENDEZ LE MOT « MUFFIN », À QUOI PENSEZ-VOUS ? À UN MUFFIN AUX MYRTILLES !
ON EN TROUVE PARTOUT AUX ÉTATS-UNIS... ET MALHEUREUSEMENT CE NE SONT PAS TOUJOURS LES
MEILLEURS ! ILS SONT SOUVENT TROP SUCRÉS, TROP SECS, TROP GROS ET PAUVRES EN MYRTILLES.
VOICI DONC MA VERSION, POUR TENTER DE FAIRE OUBLIER CE DÉSHONNEUR NATIONAL...

garniture streusel :
4 cuillères à café de beurre
doux légèrement ramolli
2 cuillères à soupe de farine blanche
ou semi-complète
4 cuillères à soupe de cassonade
1/2 cuillère à café de cannelle

ingrédients secs :
320 g de farine blanche
ou semi-complète
3 cuillères à café de levure chimique
150 g de sucre

ingrédients liquides :
265 ml de crème fraîche
65 ml d'huile de tournesol
3 œufs
1 cuillère à café d'extrait de vanille
250 g de myrtilles

Préchauffez le four à 220 °C.

Préparez la garniture en mélangeant les ingrédients à la main
ou à l'aide d'une fourchette. Mélangez tous les ingrédients secs
ensemble. Mélangez les ingrédients liquides, sauf les myrtilles.

Combinez les deux préparations sans trop travailler la pâte.

Remplissez les moules à muffins de pâte jusqu'à mi-hauteur.

Répartissez les myrtilles dans les moules. Enfoncez-les dans
la pâte à l'aide d'une cuillère ou avec un doigt. Remplissez
ensuite les moules jusqu'en haut avec la garniture streusel.

Faites cuire les muffins 15 à 20 minutes jusqu'à ce qu'ils soient
bien dorés. Vérifiez la cuisson en piquant une brochette en bois
dans le cœur des muffins : ils sont cuits quand elle ressort sèche.

CITRON, graines de pavot

DANS CETTE RECETTE, LE MÉLANGE HABITUEL DU CITRON ET DES GRAINES DE PAVOT EST DÉLICIEUSEMENT COMPLÈTE PAR DE PETITS MORCEAUX DE POIRE SUCRÉE ET JUTEUSE, QUI RENDENT CES MUFFINS MOELLEUX À SOUHAIT.

glaçage
60 g de sucre glace
2 cuillères à soupe de jus de citron

ingrédients secs
320 g de farine blanche
ou semi-complète
3 cuillères à soupe de
graines de pavot
1 cuillère à café de sel
3 cuillères à café de levure chimique

ingrédients de la pâte
le zeste de 1 1/2 citron*
150 g de sucre
125 g de beurre doux
2 œufs, blancs et jaunes séparés
40 ml de jus de citron environ
210 ml de yaourt, à la grecque
de préférence

fruits
200 g de poire épluchée et epépinée,
en morceaux (250 g de
poires entières)
* 1 1/2 citron devrait vous donner
assez de jus pour la pâte et le glaçage

Préchauffez le four à 190 °C. Préparez le glaçage en mélangeant le sucre glace et le citron. Mélangez la farine, les graines de pavot, la levure, le sel et le zeste de 1 citron. Coupez la poire en morceaux de la taille d'une amande ; si les morceaux sont trop gros la pâte risque de déborder pendant la cuisson.

Mélangez le beurre et le sucre énergiquement quelques minutes jusqu'à obtenir une consistance crémeuse et aérée. Montez les blancs en neige. Mélangez le yaourt et le jus de citron. Vous devez obtenir 250 ml de mélange ; adaptez la quantité de yaourt en fonction de la quantité de jus obtenue. Incorporez les jaunes d'œufs au mélange beurre-sucre, ajoutez le yaourt au citron, puis les blancs en neige.

Incorporez petit à petit le mélange de farine, graines de pavot, levure, sel, le zeste de citron et la poire, sans trop travailler la pâte.

Répartissez la pâte dans les moules à muffins et garnissez du reste de zeste de citron.

Faites cuire les muffins 20 à 25 minutes, jusqu'à ce qu'ils soient fermes, moelleux et bien dorés. Vérifiez la cuisson en piquant une brochette en bois dans le cœur des muffins : ils sont cuits quand elle ressort sèche. Nappez les muffins encore tièdes de glaçage à l'aide d'une cuillère.

PÉPITES de chocolat

BIEN QU'IL SOIT UN GRAND CLASSIQUE, LE MUFFIN AUX PÉPITES DE CHOCOLAT VÉHICULE
UNE MAUVAISE IMAGE DES MUFFINS EN GÉNÉRAL. À LA DIFFÉRENCE DU MUFFIN AUX
PÉPITES DE CHOCOLAT TYPIQUE, CELUI-CI EST LÉGER ET MOELLEUX, PLEIN DE PÉPITES.
CHOISISSEZ UN CHOCOLAT DE QUALITÉ, VOUS SENTIREZ LA DIFFÉRENCE.

ingrédients secs :
320 g de farine blanche
ou semi-complète
50 g de sucre
3 cuillères à café de levure chimique
1 cuillère à café de sel
150 g de barres de chocolat
cassées en pépites irrégulières

ingrédients liquides :
325 ml de crème fraîche
175 ml de lait demi-écrémé
50 ml d'huile de tournesol
1 œuf, blanc et jaune séparés
1 cuillère à café d'extrait de vanille

Préchauffez le four à 200 °C.

Mélangez la farine, le sucre, la levure et le sel.
Incorporez le jaune d'œuf aux ingrédients secs.

Montez le blanc en neige.

Mélangez les ingrédients liquides restants avec le mélange œufs-
ingrédients secs, puis ajoutez les blancs en neige et les pépites
de chocolat. Il n'est pas nécessaire de trop travailler la pâte.

Répartissez la pâte dans les moules à muffins. Faites cuire les
muffins 20 à 25 minutes jusqu'à ce qu'ils soient fermes, moelleux
et bien dorés. Vérifiez la cuisson en piquant une brochette en bois
dans le cœur des muffins : ils sont cuits quand elle ressort sèche.

RHUBARBE ✛ FRAISES

JE TROUVE CELA BIZARRE DE PENSER QU'À UN MOMENT DANS L'HISTOIRE, QUELQU'UN SE SOIT DIT QU'IL SERAIT BON DE MANGER DES FRAISES AVEC DE LA RHUBARBE. IMAGINEZ QUE PENDANT DES ANNÉES LES GENS ONT VÉCU SANS AVOIR GOÛTÉ CE MARIAGE SI RÉUSSI. ÇA N'A PAS DÛ ÊTRE FACILE ! VOICI DONC MA MAIGRE CONTRIBUTION À CETTE GLORIEUSE TRADITION DE PÂTISSERIES À LA RHUBARBE ET AUX FRAISES.

garniture streusel :
4 cuillères à café de beurre
doux, légèrement ramolli
2 cuillères à soupe de farine
blanche ou semi-complète
4 cuillères à soupe de cassonade
1/2 cuillère à café de cannelle

ingrédients secs :
320 g de farine blanche
ou semi-complète
3 cuillères à café de levure chimique
150 g de sucre

ingrédients liquides :
265 ml de crème fraîche
65 ml d'huile de tournesol
3 œufs
1 cuillère à café d'extrait de vanille
175 g de fraises en morceaux
75 g de rhubarbe en dés

Préchauffez le four à 220 °C.

Préparez la garniture en mélangeant les ingrédients à la main ou à l'aide d'une fourchette.

Mélangez tous les ingrédients secs ensemble.

Ajoutez les morceaux de fraises et de rhubarbe.

Mélangez le reste des ingrédients liquides ensemble.

Combinez les deux préparations sans trop travailler la pâte.

Remplissez les moules à muffin de pâte jusqu'aux trois quarts et terminez avec la garniture.

Faites cuire les muffins 15 à 20 minutes jusqu'à ce qu'ils soient bien dorés. Vérifiez la cuisson en piquant une brochette en bois dans le cœur des muffins : ils sont cuits quand elle ressort sèche.

FRAMBOISE

ON NE PEUT FAIRE PLUS SIMPLE QUE CETTE RECETTE ! LA PÂTE, À BASE DE
BEURRE, RESSEMBLE À CELLE D'UN BISCUIT. ELLE SE FAIT DISCRÈTE POUR LAISSER
LA VEDETTE AUX FRAMBOISES, TRÈS RICHES EN ANTIOXYDANTS.

ingrédients :
400 g de farine blanche
ou semi-complète
4 cuillères à café de levure chimique
75 g de sucre
1 cuillère à café de sel
175 g de beurre doux ramolli
250 ml de lait demi-écrémé
350 g de framboises

Préchauffez le four à 200 °C.

Mélangez la farine, la levure, le sucre et le sel.

Ajoutez le beurre en mélangeant à la main (ou à la
fourchette) puis incorporez le lait, petit à petit.

Remplissez les moules à muffins de pâte jusqu'à mi-hauteur.
Garnissez-les de framboises en les enfonçant dans la pâte avec
un doigt ou à l'aide d'une petite cuillère. Si la pâte n'arrive
pas aux trois quarts des moules, vous pouvez en ajouter.

Faites cuire les muffins 20 à 25 minutes jusqu'à ce qu'ils soient
fermes et bien dorés. Vérifiez la cuisson en piquant une brochette en
bois dans le cœur des muffins : ils sont cuits quand elle ressort sèche.

GINGERBREAD

LE GINGERBREAD EST UN GÂTEAU TRADITIONNELLEMENT SERVI AU MOMENT DE NOËL.
VOICI UNE ADAPTATION DE CETTE RECETTE, AVEC DE GROS MORCEAUX DE POMME GRANNY-
SMITH JUTEUSE, QUI VOUS DONNERA L'IMPRESSION QUE C'EST NOËL TOUTE L'ANNÉE !

ingrédients secs :
240 g de farine blanche
ou semi-complète
75 g de petits flocons d'avoine
3 cuillères à café de levure chimique
110 g de cassonade
50 g de raisins secs
le zeste de 1 citron
3 cuillères à café de
gingembre en poudre
5 cuillères à café de cannelle
1 cuillère à café de sel

ingrédients liquides :
150 ml de lait demi-écrémé
110 ml d'huile de tournesol
2 œufs
325 g de pomme granny-
smith épluchée et épépinée
(375 g de fruits entiers)
le jus de 1 citron

Préchauffez le four à 205 °C.

Mélangez tous les ingrédients secs, en conservant un peu de zeste de citron et de cassonade pour décorer le dessus des muffins.

Écrasez les deux tiers des pommes et coupez le reste en bâtonnets de la taille d'une amande. Pressez le jus de citron sur la pomme écrasée et coupée. Ajoutez la pomme au mélange d'ingrédients secs et mélangez pour qu'elle soit recouverte de farine, ce qui ralentit l'oxydation.

Mélangez le lait, l'huile et les œufs. Combinez les deux préparations, sans trop travailler la pâte.

Répartissez la pâte dans des moules à muffins et garnissez-les avec le reste de zeste et de cassonade.

Faites cuire les muffins 20 à 25 minutes, jusqu'à ce qu'ils soient fermes, moelleux et bien dorés. Vérifiez la cuisson en piquant une brochette en bois dans le cœur des muffins : ils sont cuits quand elle ressort sèche.

ORANGE CHOCOLAT

J'AI ÉLABORÉ CETTE RECETTE POUR MA FEMME. ELLE ME TANNE DEPUIS PLUSIEURS ANNÉES POUR QUE JE FASSE DES MUFFINS QUI RESSEMBLENT À UN CERTAIN GÂTEAU MARBRÉ AUQUEL ELLE ÉTAIT ACCRO QUAND NOUS VIVIONS À L.A. APRÈS DE NOMBREUX ESSAIS ET AUTANT DE RATÉS, J'AI FINI PAR TROUVER QUELQUE CHOSE QUI LUI PLAÎT… ELLE N'A PLUS QU'À TROUVER UNE NOUVELLE RAISON DE M'EMBÊTER MAINTENANT !

ingrédients de la pâte à l'orange :
190 g de farine blanche
ou semi-complète
150 g de sucre
1 1/2 cuillères à café de
levure chimique
1 cuillère à café d'extrait de vanille
170 g de beurre doux ramolli
3 œufs, blancs et jaunes séparés
le zeste de 2 oranges

ingrédients de la pâte au chocolat :
40 g de farine blanche
ou semi-complète
90 g de sucre
90 g de beurre doux ramolli
2 œufs, blancs et jaunes séparés
75 g de chocolat fondu refroidi

Préchauffez le four à 210 °C.

Préparez la pâte au chocolat : battez énergiquement le beurre et le sucre quelques minutes pour obtenir une crème onctueuse et aérée. Montez les blancs en neige. Mélangez la crème beurre-sucre avec les jaunes d'œufs, la farine, le chocolat fondu et incorporez les blancs en neige, en dernier. Mélangez suffisamment pour que la farine soit incorporée, mais ne travaillez pas la pâte plus que nécessaire.

Préparez la pâte à l'orange : mélangez la farine et la levure. Battez énergiquement le beurre avec le sucre et l'extrait de vanille quelques minutes pour obtenir une crème onctueuse et légère. Montez les blancs en neige. Mélangez la crème beurre-sucre avec les jaunes d'œufs, la farine, le zeste d'orange et incorporez les blancs en neige, en dernier. Mélangez suffisamment pour que la farine soit incorporée, mais ne travaillez pas la pâte plus que nécessaire.

Remplissez les moules à muffins avec la pâte à l'orange jusqu'à mi-hauteur. À l'aide d'une cuillère, ou au doigt, creusez un puits dans la pâte et remplissez-le de pâte au chocolat.

Faites cuire les muffins 15 à 20 minutes, jusqu'à ce qu'ils soient fermes et moelleux. Vérifiez la cuisson en piquant les muffins avec la pointe d'un couteau ou d'une brochette en bois : ils sont cuits quand elle ressort sèche.

STYLE CARROT CAKE

DANS CETTE VERSION DE CARROT CAKE SANS PRODUITS LAITIERS, LES POMMES, LES ORANGES ET LA BETTERAVE RENDENT LA PÂTE MOELLEUSE ET LA PARFUMENT DÉLICATEMENT. ET, AU CAS OÙ VOUS NE LE SAURIEZ PAS, LES CAROTTES, PLEINES DE BÊTA-CAROTÈNE, SONT EXCELLENTES POUR LA VUE ET LA PEAU.

ingrédients secs :
255 g de farine blanche
ou semi-complète
80 g de petits flocons d'avoine
3 cuillères à café de levure chimique
140 g de cassonade
40 g de noix concassées
40 g de raisins secs
le zeste de 1 orange
4 cuillères à café de cannelle
1 cuillère à café de noix de muscade
1 cuillère à café de sel

ingrédients liquides :
120 ml d'huile de tournesol
5 œufs
le jus de 1 orange
200 g de pomme râpée
(230 g de fruits entiers)
150 g de carottes râpées (165 g
de carottes entières)
50 g de betterave crue* râpée
* Si vous ne trouvez pas de
betterave crue, vous pouvez la
remplacer par de la betterave
cuite ou, si vous voulez quelque
chose qui ressemble plus au carrot
cake traditionnel, remplacez-la
par plus de carottes râpées.

Préchauffez le four à 200 °C.

Mélangez la farine, les flocons d'avoine et la levure. Ajoutez les autres ingrédients secs en conservant un peu de cassonade pour en saupoudrer le dessus des muffins.

Mélangez les œufs et l'huile de tournesol.
Incorporez les autres ingrédients liquides.

Mélangez les deux préparations, sans trop travailler la pâte.

Répartissez la pâte dans les moules à muffins. Vous pouvez les remplir jusqu'en haut car cette pâte ne gonfle que très peu à la cuisson. Saupoudrez de cassonade.

Faites cuire les muffins 20 à 25 minutes, jusqu'à ce qu'ils soient fermes, moelleux et bien dorés. Vérifiez la cuisson en piquant une brochette en bois dans le cœur des muffins : ils sont cuits quand elle ressort sèche.

PUMPKIN

JE SUIS SÛR QUE VOUS AIMEZ LES CITROUILLES. ELLES SONT RIGOLOTES, PLEINES DE BÊTA-CAROTÈNE, DE VITAMINE C ET DE FIBRES. J'ADORE COUPER UNE CITROUILLE ET RETIRER LES GRAINES, C'EST MON CÔTÉ CHASSEUR (DE LÉGUMES) QUI RESSORT. ET POUR FÊTER CETTE BELLE « PRISE »… UN MUFFIN À LA CITROUILLE MOELLEUX ET LÉGER À SOUHAIT, GARNI D'UNE BOUCHÉE SURPRISE DE FROMAGE FRAIS !

ingrédients secs :
340 g de farine blanche
ou semi-complète
3 cuillères à café de levure chimique
150 g de cassonade
1 cuillère à soupe de cannelle
1 cuillère à café de gingembre
1 cuillère à café de sel
1/2 cuillère à café de
noix de muscade

ingrédients liquides :
80 ml de lait fermenté (babeurre)
120 ml d'huile de tournesol
2 œufs
1 cuillère à café d'extrait de vanille
400 g de chair de citrouille
crue écrasée*
100 g de fromage frais,
type Carré Frais
* N'oubliez pas de « dépecer » la citrouille. Si vous n'arrivez pas à détacher la chair crue, coupez la citrouille en deux et faites-la cuire au four, côté chair sur le dessous, pendant 45 minutes environ à 180 °C. Vous pourrez alors facilement récupérer la chair à l'aide d'une cuillère.

Préchauffez le four à 210 °C.

Mélangez tous les ingrédients secs.

Mélangez le lait fermenté, l'huile, les œufs et l'extrait de vanille.

Combinez les deux préparations, ajoutez la chair de citrouille et mélangez sans trop travailler la pâte.

Remplissez les moules à muffins avec la pâte jusqu'à mi-hauteur, garnissez le cœur avec une bonne cuillerée à café de fromage frais et recouvrez de pâte jusqu'en haut du moule.

Faites cuire les muffins 15 à 20 minutes jusqu'à ce qu'ils soient fermes, tendres et bien dorés. Vérifiez la cuisson en piquant une brochette en bois dans le cœur des muffins : ils sont cuits quand elle ressort sèche (sauf si vous piquez dans le fromage frais).

CERISES AMÈRES

J'ADORE LES CERISES AMÈRES. QUAND J'ÉTAIS PETIT, JE MANGEAIS TOUT LE TEMPS LES CHAUSSONS AUX CERISES DU MCDO. AUJOURD'HUI, JE ME RÉGALE AVEC CES MUFFINS. DANS CETTE RECETTE, LES MORCEAUX DE POMME RENDENT LA PÂTE MOELLEUSE ET LUI DONNENT UN PETIT CÔTÉ SUCRÉ.

ingrédients secs :
240 g de farine blanche
ou semi-complète
75 g de petits flocons d'avoine
3 cuillères à café de levure chimique
110 g de sucre
1 cuillère à soupe de cannelle
1 cuillère à café de sel

ingrédients liquides :
150 ml de lait demi-écrémé
110 ml d'huile de tournesol
2 œufs
185 g de pomme épluchée, épépinée
et râpée (230 g de pommes entières)
185 g de cerises griottes dénoyautées
et coupées en quatre*
* des morceaux trop gros feraient
déborder la pâte pendant la cuisson

Préchauffez le four à 205 °C.

Mélangez tous les ingrédients secs en conservant un peu de sucre pour en saupoudrer le dessus des muffins.

Ajoutez la pomme et les cerises et mélangez pour qu'elles soient enrobées de farine, ce qui ralentit l'oxydation.

Mélangez le reste des ingrédients liquides ensemble, puis combinez les deux préparations sans trop travailler la pâte.

Répartissez la pâte dans des moules à muffins et saupoudrez du reste de sucre.

Faites cuire les muffins 20 à 25 minutes, jusqu'à ce qu'ils soient fermes, moelleux et bien dorés. Vérifiez la cuisson en piquant une brochette en bois dans le cœur des muffins : ils sont cuits quand elle ressort sèche.

POIRE

UN JOUR, AU BOB'S JUICE BAR, JE ME SUIS TROMPÉ DANS MES COMMANDES ET JE ME SUIS RETROUVÉ AVEC QUELQUES KILOS DE POIRES BIEN MÛRES EN TROP. JE TROUVAIS ÇA BÊTE DE LES JETER, DU COUP J'AI DÉCIDÉ DE LES METTRE DANS MES MUFFINS... C'EST COMME ÇA QUE J'AI INVENTÉ CETTE RECETTE, QUI EST AUJOURD'HUI LA PRÉFÉRÉE DE NOS CLIENTS. LE HASARD FAIT BIEN LES CHOSES, FINALEMENT !

ingrédients secs :
240 g de farine blanche
ou semi-complète
75 g de petits flocons d'avoine
3 cuillères à café de levure chimique
85 g de sucre
1 cuillère à soupe de cannelle
1 c. à c. de sel

ingrédients liquides :
150 ml de lait demi-écrémé
110 ml d'huile de tournesol
2 œufs
225 g de pomme épluchée, épépinée
et râpée (300 g de pommes entières)
150 g de poire en morceaux
(200 g de poires entières)

Préchauffez le four à 205 °C.

Mélangez tous les ingrédients secs ensemble, en conservant un peu de sucre pour en garnir le dessus des muffins.

Ajoutez la pomme et la poire et mélangez pour qu'elles soient recouvertes de farine, ce qui ralentit l'oxydation.

Mélangez le reste des ingrédients liquides ensemble et ajoutez-les à la préparation sèche, sans trop travailler la pâte.

Répartissez la pâte dans des moules à muffins et saupoudrez-les avec le reste de sucre.

Faites cuire les muffins 20 à 25 minutes, jusqu'à ce qu'ils soient fermes, moelleux et bien dorés. Vérifiez la cuisson en piquant une brochette en bois dans le cœur des muffins : ils sont cuits quand elle ressort sèche.

MATCHA

L'INGRÉDIENT CLÉ DE CETTE RECETTE EST LE MATCHA, UN THÉ VERT JAPONAIS DONT LES FEUILLES SONT RÉDUITES EN POUDRE. CES MUFFINS, DE COULEUR VERTE, SEMBLENT VENIR TOUT DROIT DE MARS, MAIS JE VOUS PROMETS QU'IL N'Y A PAS DE QUOI AVOIR PEUR, ENFIN SAUF DE NE PLUS SAVOIR S'EN PASSER QUAND ON Y A GOÛTÉ...

Ingrédients :
255 g de farine blanche
ou semi-complète
20 g de thé matcha
2 cuillères à café de levure chimique
300 g de sucre
330 g de beure doux
7 œufs, blancs et jaunes séparés
100 g de chocolat blanc
50 g de pignons de pin

Préchauffez le four à 200 °C.

Mélangez la farine, le thé et la levure.

Cassez le chocolat blanc en petites pépites de taille irrégulière.

Battez le beurre et le sucre énergiquement quelques minutes jusqu'à obtenir une consistance crémeuse et aérée.

Montez les blancs en neige.

Incorporez les jaunes d'œufs au mélange beurre-sucre, puis au mélange farine-thé-levure. En tout dernier incorporez les blancs en neige. Essayez de ne pas trop travailler la pâte.

Répartissez la pâte dans les moules à muffins. Vous pouvez les remplir jusqu'en haut car cette pâte est assez compacte.

Divisez les pépites de chocolat en 12 parts et garnissez-en chaque muffin en les enfonçant dans la pâte. Après la cuisson, on ne distingue plus les pépites de chocolat blanc mais leur goût reste bien présent.

Garnissez les muffins avec les pignons en les enfonçant légèrement dans la pâte. Disposez-les près du centre car ils risquent de tomber pendant la cuisson.

Faites cuire les muffins 20 à 25 minutes, jusqu'à ce qu'ils soient fermes, moelleux et bien dorés. Vérifiez la cuisson en piquant une brochette en bois dans le cœur des muffins : ils sont cuits quand elle ressort sèche.

MANGO TIME

CES MUFFINS À LA FOIS SUCRÉS ET ÉPICÉS SONT À BASE DE MANGUE FRAÎCHE ET DE CHUTNEY DE MANGUE. AVANT DE COMMENCER LA RECETTE, VÉRIFIEZ QUE VOTRE MANGUE EST BIEN MÛRE. ELLE DOIT S'ENFONCER LÉGÈREMENT SOUS LA PRESSION DES DOIGTS ET DÉLIVRER UNE ODEUR FRUITÉE ASSEZ FORTE. CES MUFFINS SONT EXCELLENTS CHAUDS. À SERVIR SEULS OU EN ACCOMPAGNEMENT D'UN PLAT ÉPICÉ.

ingrédients :
400 g de farine blanche
ou semi-complète
4 cuillères à café de levure chimique
50 g de sucre
1 cuillère à café de sel
175 g de beurre doux ramolli
250 ml de lait demi-écrémé
100 g de chutney à la mangue
250 g de chair de mangue

Préchauffez le four à 200 °C.

Mélangez la farine, la levure, le sucre et le sel.

Ajoutez le beurre à la main (ou à la fourchette) puis incorporez le lait, petit à petit.

Coupez la mangue en morceaux et mélangez-la avec le chutney. Incorporez-les à la pâte.

Répartissez la pâte dans les moules.

Faites cuire les muffins 20 à 25 minutes jusqu'à ce qu'ils soient ferme et bien dorés. Vérifiez la cuisson en piquant une brochette en bois dans le cœur des muffins : ils sont cuits quand elle ressort sèche.

DULCHE DE LECHE by la Cocotte

LA RECETTE DE CES SUCCULENTS MUFFINS-CHEESECAKES MARBRÉS VIENT DE LA COCOTTE, LIBRAIRIE SPÉCIALISÉE DANS LA CUISINE SITUÉE DANS LE 11ÈME ARRONDISSEMENT DE PARIS. EN PLUS DE RÉUNIR LA PLUS ÉTONNANTE COLLECTION DE LIVRES ET D'ACCESSOIRES DE CUISINE, LA LIBRAIRE A ÉLEVÉ LA CONFITURE DE LAIT (DULCE DE LECHE) AU RANG D'OBJET D'ART.

ingrédients de la pâte :
270 g de farine
2 cuillères à café de levure chimique
50 g de sucre
2 œufs
100 ml de lait
80 ml d'huile végétale
250 g de confiture de lait
125 g de noix concassées

ingrédients de la pâte à cheesecake :
125 g de ricotta
75 g de fromage frais,
type Carré Frais
2 cuillères à soupe de crème fraîche
2 cuillères à soupe de sucre
1 œuf
1 cuillère à café d'extrait de vanille
3 cuillères à soupe de farine

garniture :
50 g de confiture de lait
50 g de noix concassées

Préchauffez le four à 180 °C.

Préparez la pâte : tamisez ensemble la farine et la levure. Mélangez le sucre, les œufs, le lait, l'huile et la confiture de lait pour obtenir une pâte onctueuse. Incorporez la farine puis les noix.

Préparez la pâte à cheesecake en mélangeant tous les ingrédients jusqu'à ce qu'il n'y ait plus de grumeaux.

Mettez 1 cuillerée à soupe de la pâte dans chaque moule à muffin, ajoutez une bonne cuillerée à café de confiture de lait puis 1 cuillerée à soupe de pâte à cheesecake. Mélangez légèrement ces trois pâtes à l'aide d'une brochette en bois ou la pointe d'un couteau. Garnissez avec les noix.

Faites cuire 30 à 35 minutes.

COURGETTE

SI VOUS CONNAISSEZ LA COURGETTE UNIQUEMENT DANS DES PLATS SALÉS, PRÉPAREZ-VOUS À UNE BONNE SURPRISE. DANS CES MUFFINS SANS PRODUITS LAITIERS, LES FINS MORCEAUX DE POMME GRANNY-SMITH, LÉGÈREMENT ACIDE, SE MARIENT À MERVEILLE AVEC LES BÂTONNETS VERTS ET BLANCS DE COURGETTE TENDRE ET DÉLICATEMENT PARFUMÉE.

ingrédients secs :
320 g de farine blanche
ou semi-complète
3 cuillères à café de levure chimique
150 g de sucre
50 g de noix concassées
50 g de raisins secs
2 cuillères à café de cannelle
1 cuillère à café de sel

ingrédients liquides :
150 ml d'huile de tournesol
4 œufs
150 g de pomme granny-smith
râpée (175 g de pommes entières)
150 g de courgette râpée
(165 g de courgettes entières)
12 bandes de peau de courgette

Préchauffez le four à 200 °C.

Tamisez la farine et la levure puis mélangez-les avec les autres ingrédients secs, en conservant un peu de sucre pour en saupoudrer le dessus des muffins.

Mélangez les œufs et l'huile de tournesol. Incorporez la pomme et la courgette râpées.

Mélangez les deux préparations sans trop travailler la pâte.

Répartissez la pâte dans les moules à muffins à l'aide d'une cuillère. Décorez les muffins avec le « zeste » de courgette et une pincée de sucre.

Faites cuire les muffins 20 à 25 minutes, jusqu'à ce qu'ils soient fermes, moelleux et bien dorés. Vérifiez la cuisson en piquant une brochette en bois dans le cœur des muffins : ils sont cuits quand elle ressort sèche.

BANANA

DE TEMPS EN TEMPS, DES CLIENTS DU BOB'S JUICE BAR ME DISENT QU'ILS N'AIMENT PAS LA BANANE. POUR MOI, C'EST COMME S'ILS N'AIMAIENT PAS LE SOLEIL, OU QUELQUE CHOSE COMME ÇA. BREF, À MOINS QUE VOUS SOYEZ, VOUS AUSSI, L'UN DE CES «BANANOPHOBE», VOUS DEVRIEZ APPRÉCIER CE MUFFIN EXTRA-MOELLEUX, INSPIRÉ DU BANANA BREAD, AVEC DU LAIT DE COCO, DES DATTES ET DES NOIX DE PÉCAN.

ingrédients secs :
240 g de farine blanche
ou semi-complète
75 g de petits flocons d'avoine
3 cuillères à café de levure chimique
55 g de cassonade
75 g de dattes sèches*
40 g de noix de pécan
2 cuillères à soupe de cannelle
1 cuillère à café de sel
* 75 g correspondent à la quantité
de dattes sèches avec leur noyau.
Les dattes dénoyautées et
réhydratées pèseront à peu
près la même chose.

ingrédients liquides :
190 g de yaourt, à la
grecque de préférence
115 ml d'huile de tournesol
75 ml de lait de coco
60 g de miel, d'acacia de préférence
3 œufs
1 cuillère à café d'extrait de vanille
225 g de banane

Préchauffez le four à 180 °C.

Faites tremper les dattes dans l'eau bouillante 10 minutes environ.

Mélangez tous les ingrédients secs, sauf les dattes, et réservez un peu de cassonade pour en saupoudrer le dessus des muffins.

Mélangez tous les ingrédients liquides sauf la banane.

Égouttez les dattes, dénoyautez-les et coupez-les finement.

Écrasez la banane à l'aide d'une fourchette.

Incorporez la banane et les dattes à la préparation d'ingrédients liquides.

Mélangez les deux préparations sans trop travailler la pâte.

Répartissez la pâte dans les moules à muffins. Vous pouvez les remplir jusqu'en haut.

Faites cuire les muffins 20 à 25 minutes jusqu'à ce qu'ils soient fermes, moelleux et bien dorés. Vérifiez la cuisson en piquant une brochette en bois dans le cœur des muffins : ils sont cuits quand elle ressort sèche.

ORANGE, patate douce, airelles

SI VOUS AVEZ BESOIN DE QUELQUES RAYONS DE SOLEIL, GOÛTEZ CES MUFFINS LÉGERS ET COLORÉS, ÇA IRA DÉJÀ MIEUX ! SANS LIPIDES NI PRODUITS LAITIERS, PLEINS DE BÊTA-CAROTÈNE ET DE VITAMINE C, ET DÉLICIEUX, CE QUI NE GÂCHE RIEN.

ingrédients secs :
320 g de farine blanche
ou semi-complète
3 cuillères à café de levure chimique
40 g de cassonade
1 cuillère à soupe de cannelle
1 cuillère à café de sel
1/2 cuillère à café de
noix de muscade
le zeste de 2 oranges
50 g de noix de pécan concassées
150 g d'airelles séchées

ingrédients liquides :
300 ml de jus d'orange, fraîchement
pressé de préférence
4 œufs
250 g de patates douces cuites,
pelées, refroidies et écrasées

Préchauffez le four à 200 °C.

Faites tremper les airelles dans de l'eau bouillante 5 minutes.

Mélangez tous les ingrédients secs sauf les airelles.

Mélangez tous les ingrédients liquides.

Combinez les deux préparations puis ajoutez les airelles. Veillez à ne pas travailler la pâte plus que nécessaire.

Répartissez la pâte dans les moules à muffins.

Faites cuire les muffins 15 à 20 minutes pour qu'ils soient fermes, moelleux et bien dorés. Vérifiez la cuisson en piquant une brochette en bois dans le cœur des muffins : ils sont cuits quand elle ressort sèche.

STYLE QUAKER

EN PLUS D'AVOIR UNE TEXTURE AGRÉABLE ET UN GOÛT DÉLICIEUX, LE SON DE BLÉ EST UNE EXCELLENTE SOURCE DE FIBRES RICHES EN NUTRIMENTS. VOICI UNE ADAPTATION FRUITÉE ET MOELLEUSE DU MUFFIN AMÉRICAIN AU SON CLASSIQUE, AVEC UNE TOUCHE TOUT À FAIT FRANÇAISE : DU CHÈVRE ET DES FIGUES !

ingrédients secs :
240 ml de farine blanche
ou semi-complète
100 g de son
175 g de cassonade
3 cuillères à café de levure chimique
1 cuillère à café de sel

ingrédients liquides :
185 ml de lait
185 ml d'huile de tournesol
3 œufs
250 g de pomme râpée
(280 g de pommes entières)
250 g de figues fraîches en morceaux
(275 g de figues entières)
100 g de fromage de chèvre frais

Préchauffez le four à 190 °C.

Mélangez les ingrédients secs ensemble. Ajoutez la pomme râpée et les figues. Mélangez le lait, l'huile et les œufs et ajoutez-les au mélange précédent.

Remplissez les moules à muffins avec cette pâte jusqu'à mi-hauteur, garnissez le centre d'une bonne cuillerée à café de fromage de chèvre et recouvrez de pâte. Vous pouvez aller jusqu'en haut des moules.

Faites cuire les muffins 20 à 25 minutes jusqu'à ce qu'ils soient fermes, moelleux et bien dorés. Vérifiez la cuisson en piquant une brochette en bois dans le cœur des muffins : ils sont cuits quand elle ressort sèche (sauf si vous atteignez le fromage de chèvre fondu, qui reste liquide).

COFFEE CAKES

SANS VOULOIR ME VANTER, MES MUFFINS SPÉCIAUX « PAUSE CAFÉ » SONT TOP. LA GARNITURE STREUSEL EST CONSISTANTE, MAIS PAS TROP ÉPAISSE. ET LA PÂTE EST MOELLEUSE ET NATURELLEMENT SUCRÉE GRÂCE À LA POMME. ET CONTRAIREMENT AUX GÂTEAUX CLASSIQUES SERVIS AVEC LE CAFÉ, MES MUFFINS CONTIENNENT VRAIMENT DU CAFÉ !

garniture à l'espresso :
2 cuillères à soupe d'espresso moulu
4 cuillères à soupe de
poudre d'amandes
4 cuillères à soupe de cassonade

garniture streusel :
4 cuillères à café de
beurre doux ramolli
2 cuillères à soupe de farine
blanche ou semi-complète
4 cuillères à soupe de cassonade
1 cuillère à soupe de
garniture à l'espresso

ingrédients secs :
240 g de farine blanche
ou semi-épaisse
75 g de petits flocons d'avoine
3 cuillères à café de levure chimique
85 g de sucre
1 cuillère à soupe de cannelle
1 cuillère à café de sel

ingrédients liquides :
150 ml de lait
110 ml d'huile de tournesol
2 œufs
260 g de pomme râpée, épluchée et
épépinée (325 g de pommes entières)

Préchauffez le four à 205 °C.

Préparez la garniture à l'espresso en mélangeant tous les ingrédients.

Préparez la garniture streusel en mélangeant tous les ingrédients à la main ou à l'aide d'une fourchette. Pour être clair, ce que j'appelle « garniture à l'espresso » est le mélange d'espresso, de poudre d'amandes et de cassonade.

Mélangez tous les ingrédients secs. Mélangez tous les ingrédients liquides sauf la pomme. Mélangez la préparation sèche, la préparation humide et la pomme râpée, sans trop travailler la pâte.

Remplissez les moules à muffins jusqu'à mi-hauteur. Ajoutez 2 cuillerées à café de garniture à l'espresso et donnez un léger tour de cuillère pour la mélanger à la pâte. Cela évite qu'il se forme une couche de garniture à l'espresso, qui rendrait les muffins cassants lorsque vous les démoulerez. Attention tout de même car il ne faut pas que les deux préparations soient entièrement mélangées ! Un ou deux tours de cuillère feront l'affaire.

Ajoutez un peu de pâte puis remplissez le moule jusqu'en haut avec la garniture streusel.

Faites cuire les muffins 20 à 25 minutes jusqu'à ce qu'ils soient bien dorés. Vérifiez la cuisson en piquant une brochette en bois dans le cœur des muffins : ils sont cuits quand elle ressort sèche.

ÇA COLLE aux doigts

VOUS ÊTES PRÉVENUS, CE MUFFIN EST DANGEREUSEMENT BON. TELLEMENT BON QU'EN RÉALITÉ JE N'AIME PAS TROP EN FAIRE CAR J'EN MANGE TOUJOURS TROP... UN CONSEIL : CONSOMMEZ-LE AVEC MODÉRATION ! DEUX OU TROIS MUFFINS, TOUT VA BIEN. QUATRE OU CINQ, C'EST TROP MAIS PASSE ENCORE. AU SEPTIÈME, IL EST PEUT-ÊTRE TEMPS DE PENSER À ALLER CONSULTER... OU AU MOINS DE VOUS LAVER LES MAINS.

ingrédients secs :
240 g de farine blanche
ou semi-complète
75 g de petits flocons d'avoine
3 cuillères à café de levure chimique
40 g de cassonade
1 cuillère à café de sel

ingrédients liquides :
150 ml de lait demi-écrémé
110 ml d'huile de tournesol
2 œufs
115 g de pomme râpée (175 g
de pommes entières)
185 g de dattes sèches*
150 ml de confiture de lait
* 185 g correspondent à la quantité
de dattes sèches avec leur noyau. Les
dattes dénoyautées et réhydratées
pèseront à peu près la même chose.

Préchauffez le four à 205 °C.

Faites tremper les dattes dans de l'eau
bouillante 10 minutes environ.

Mélangez tous les ingrédients secs puis ajoutez la pomme râpée.

Mélangez le lait, l'huile et les œufs.

Égouttez les dattes, dénoyautez-les et hachez-les ou
écrasez-les pour obtenir une pâte collante.

Mélangez les deux préparations sans trop travailler la pâte.

Remplissez les moules à muffins avec la pâte jusqu'à mi-hauteur.

Garnissez d'une bonne pincée de purée de dattes et d'une
bonne cuillerée à café de confiture de lait. Recouvrez de pâte et
ajoutez un tout petit peu de dattes et de confiture de lait, pour
décorer (la majorité de la garniture doit être à l'intérieur).

Faites cuire les muffins 20 à 25 minutes jusqu'à ce qu'ils soient
fermes et moelleux. Vérifiez la cuisson en piquant une brochette
en bois dans le cœur des muffins : ils sont cuits quand elle ressort
sèche. Si le dessus des muffins commence à brûler avant la fin
de la cuisson, recouvrez-les de papier d'aluminium. De même,
je vous conseille de mettre de l'aluminium en dessous de vos
moules pour éviter que les gouttes de confiture de lait ne salissent
votre four. Il est difficile de préparer ce muffin proprement !

CHOCOLAT et noix de coco

LE MÉLANGE DE LAIT ET DE COPEAUX DE NOIX DE COCO DONNE À CE MUFFIN UN
PETIT GOÛT DES TROPIQUES. BIEN QUE LES ACIDES GRAS CONTENUS DANS L'HUILE
DE COCO SOIENT DES ACIDES GRAS SATURÉS, ILS SONT PLUTÔT SAINS.

ingrédients secs :
105 g de farine blanche
ou semi-complète
300 g de sucre
1 cuillère à café de levure chimique
85 g de cacao en poudre non sucré
50 g de noix de coco râpée

ingrédients liquides :
65 ml de lait de coco
165 ml d'huile
4 œufs, blancs et jaunes séparés

Préchauffez le four à 200 °C.

Mélangez tous les ingrédients secs, en conservant un peu
de noix de coco pour en garnir le dessus des muffins.

Mélangez l'huile de tournesol, le lait de coco et les jaunes d'œufs.

Montez les blancs en neige.

Mélangez les deux préparations puis incorporez les blancs
en neige, délicatement, sans trop travailler la pâte.

Répartissez la pâte dans les moules à muffins
et garnissez avec la noix de coco.

Faites cuire les muffins 20 à 25 minutes, jusqu'à ce qu'ils
soient fermes, moelleux et bien dorés. Vérifiez la cuisson
en piquant le cœur des muffins avec une brochettes en
bois : ils sont cuits quand celle-ci ressort sèche.

RICOTTA **+** FRAISES

BEAUCOUP DE FRAISES ET UNE PÂTE MOELLEUSE ET FONDANTE, PAS TROP
SUCRÉE, UN PEU COMME UN CHEESECAKE. QUE DIRE DE PLUS ?

ingrédients secs :
400 g de farine blanche
ou semi-complète
4 cuillères à café de levure chimique
150 g de sucre
1 cuillère à café de sel

ingrédients liquides :
300 g de ricotta
85 ml d'huile de tournesol
85 ml de lait demi-écrémé
2 œufs, blancs et jaunes séparés
300 g de fraises

Préchauffez le four à 185 °C.

Mélangez les ingrédients secs ensemble.

Mélangez la ricotta, l'huile, le lait et les jaunes d'œufs.

Coupez les fraises en petits morceaux.

Montez les blancs en neige.

Mélangez le tout sans trop travailler la pâte.

Faites cuire les muffins 15 à 20 minutes jusqu'à ce
qu'ils soient fermes, moelleux et bien dorés. Vérifiez la
cuisson en piquant une brochette en bois dans le cœur
des muffins : ils sont cuits quand elle ressort sèche.

AMANDE-CERISE

LES AMANDES SONT UN PARFAIT EXEMPLE D'ALIMENT À LA FOIS BON AU GOÛT ET POUR LA SANTÉ. ELLES SONT NOTAMMENT UNE EXCELLENTE SOURCE DE PROTÉINES, DE LIPIDES, DE MAGNÉSIUM, DE POTASSIUM ET DE VITAMINE E. DANS CETTE RECETTE, LA POUDRE ET LA PÂTE D'AMANDES ENROBENT DÉLICATEMENT LES CERISES JUTEUSES POUR UN RÉSULTAT IRRÉSISTIBLE.

garniture streusel :
2 cuillères à café de beurre doux
2 cuillères à café de pâte d'amandes
2 cuillères à soupe de farine
blanche ou semi-complète
4 cuillères à soupe de cassonade

ingrédients secs :
320 g de farine blanche
ou semi-complète
3 cuillères à café de levure chimique
150 g de sucre
125 g de poudre d'amandes
1 cuillère à café de sel

ingrédients liquides :
250 ml de lait fermenté (babeurre)
125 ml d'huile de tournesol
2 œufs
150 g de cerises dénoyautées
et coupées en quatre*
* si les morceaux sont trop
gros, la pâte risque de déborder
pendant la cuisson

Préchauffez le four à 200 °C.

Préparez la garniture streusel. Mélangez le beurre et la pâte d'amandes à la main ou à l'aide d'une fourchette. Ajoutez la farine, puis la cassonade.

Mélangez tous les ingrédients secs. Mélangez tous les ingrédients liquides. Mélangez les deux préparations sans trop travailler la pâte.

Garnissez les moules à muffins jusqu'aux deux tiers avec la pâte et complétez avec la garniture streusel : vous pouvez aller presque jusqu'en haut des moules.

Faites cuire les muffins 20 à 25 minutes, jusqu'à ce qu'ils soient bien dorés. Vérifiez la cuisson en piquant une brochette en bois dans le cœur des muffins : ils sont cuits quand elle ressort sèche.

MYRTILLE et maïs

CES MUFFINS SONT MOINS SUCRÉS QUE LES MUFFINS À LA MYRTILLE TRADITIONNELS ET RESSEMBLENT MOINS À UN GÂTEAU. PRÉPARÉS AVEC DU BABEURRE, ILS ONT UN PETIT GOÛT DE PAIN AU MAÏS ET SONT EXCELLENTS AU PETIT DÉJEUNER.

ingrédients secs :
190 g de farine blanche
ou semi-complète
210 g de farine de maïs
3 cuillères à café de levure chimique
75 g de sucre
1 cuillère à café de sel

ingrédients liquides :
400 ml de lait fermenté (babeurre)
75 g de beurre fondu
2 œufs
180 g de myrtilles

Préchauffez le four à 220 °C.

Mélangez tous les ingrédients secs, en conservant un peu de sucre pour en saupoudrer le dessus des muffins.

Ajoutez les myrtilles.

Mélangez ensemble les autres ingrédients liquides.

Mélangez les deux préparations, sans trop travailler la pâte. La pâte doit devenir violette.

Répartissez la pâte dans des moules à muffins et saupoudrez-les de sucre.

Faites cuire les muffins 15 à 20 minutes, jusqu'à ce qu'ils soient fermes, moelleux et bien dorés. Vérifiez la cuisson en piquant une brochette en bois dans le cœur des muffins : ils sont cuits quand elle ressort sèche.

KUGEL ou pudding aux nouilles

QUAND J'ÉTAIS ENFANT, UNE DES RAISONS POUR LAQUELLE J'ADORAIS ALLER CHEZ MA GRAND-MÈRE, À BROOKLYN, ÉTAIT LE KUGEL. CE PUDDING, DONT J'AI FAIT UN MUFFIN, EST DÉLICIEUX CHAUD SERVI EN ACCOMPAGNEMENT D'UN PLAT ÉPICÉ OU FROID EN DESSERT. MOI, J'AI TOUJOURS PRÉFÉRÉ LE MANGER TOUT JUSTE SORTI DU RÉFRIGÉRATEUR AVEC DU POULET FROID LORS DE MES FRINGALES NOCTURNES.

Ingrédients :
175 g* de vermicelles aux œufs
45 g de farine blanche
ou semi-complète
1/2 cuillère à café de levure chimique
2 cuillères à soupe de cannelle
1 cuillère à café de sel
5 œufs
35 ml d'huile de tournesol
175 g de compote de
pommes sans sucre
175 g de pomme granny-
smith en morceaux (200 g
de pommes entières)
75 g de miel, d'acacia de préférence
100 g d'airelles séchées
ou de raisins secs
1 cuillère à café d'extrait de vanille
* le poids indiqué correspond
au poids avant cuisson

Préchauffez le four à 185 °C.

Faites cuire les vermicelles « al dente »
puis rincez-les sous l'eau froide.

Faites tremper les airelles séchées dans un bol
d'eau bouillante quelques minutes.

Mélangez la farine, la levure, le sel et la cannelle.

Mélangez les œufs, l'huile, la compote de pommes, le miel et
l'extrait de vanille, puis combinez les deux préparations.

Incorporez les vermicelles froids, les airelles
réhydratées et les morceaux de pomme.

Répartissez la pâte dans les moules à muffins. Vous pouvez remplir
les moules jusqu'en haut car cette pâte ne gonfle presque pas
pendant la cuisson. Si vous utilisez des raisins secs, enfoncez-
les dans la pâte car ils risquent de brûler s'ils sont apparents.

Faites cuire les muffins 30 à 35 minutes, jusqu'à ce qu'ils soient
bien dorés et que la pâte ne fasse plus de bulles. Si vous pensez que
le dessus des muffins risque de brûler alors que la pâte n'est pas
vraiment cuite, couvrez-les avec une feuille de papier d'aluminium.

PAIN DE MAÏS

LE PAIN DE MAÏS ME REND TOUJOURS NOSTALGIQUE, ET JE NE DIS PAS CELA EN TANT QU'EXPATRIÉ AMÉRICAIN. NON, JE TROUVE QU'IL A QUELQUE CHOSE QUI VOUS « RENVOIE LÀ-BAS »... AVEC UN NAPPAGE AU GUACAMOLE FRAIS, CES MUFFINS PEUVENT PRESQUE CONSTITUER UN REPAS À PART ENTIÈRE.

ingrédients secs :
190 g de farine blanche
ou semi-complète
210 g de farine de maïs
3 cuillères à café de levure chimique
1 cuillère à café de sel

ingrédients liquides :
400 ml de lait fermenté (babeurre)
75 g de beurre fondu
2 œufs
180 g de maïs doux
1/2 piment vert finement haché

nappage au guacamole :
1 avocat bien mûr
le jus de 1/2 citron vert
1/2 piment, graines et
membranes ôtées
1 tomate cerise
1 cuillère à soupe de
coriandre moulue
1 cuillère à café de sel
1/2 cuillère à café de poivre noir
1 cuillère à café d'huile d'olive

Préchauffez le four à 220 °C.

Mélangez tous les ingrédients secs.

Mélangez tous les ingrédients liquides à l'aide d'un mixer plongeant ou dans un blender pour bien répartir le maïs et le piment.

Mélangez les deux préparations sans trop travailler la pâte.

Répartissez la pâte dans des moules à muffins. Faites cuire les muffins 15 à 20 minutes, jusqu'à ce qu'ils soient moelleux et bien dorés. Vérifiez la cuisson en piquant une brochette en bois dans le cœur des muffins : ils sont cuits quand elle ressort sèche.

Laissez les muffins refroidir.

Mixez ensemble tous les ingrédients du guacamole et recouvrez-en les muffins froids à l'aide d'une spatule.

BANANE-CARAMEL (sans gluten)

À NEW-YORK AUJOURD'HUI, LA CUISINE SANS GLUTEN EST TRÈS EN VOGUE, NON
SEULEMENT POUR DES RAISONS DE SANTÉ MAIS AUSSI PARCE QUE DE PLUS EN PLUS
DE GENS TROUVENT CELA MEILLEUR. CES MUFFINS SONT PARTICULIÈREMENT BONS
LÉGÈREMENT GRILLÉS, AVEC DU BEURRE, DU MIEL OU DE LA CONFITURE.

ingrédients secs :
500 g de farine de riz*
3 cuillères à café de levure
chimique sans gluten*
60 g de cassonade
1 cuillère à café de cannelle
1 cuillère à café de sel
150 g de caramels au beurre salé
* Vous trouverez de la farine de riz
et de la levure sans gluten dans la
plupart des magasins biologiques.

ingrédients liquides :
250 ml de lait
75 ml d'huile de tournesol
3 œufs
1 cuillère à café d'extrait de vanille
200 g de banane bien mûre

Préchauffez le four à 210 °C.

Coupez les caramels en petits morceaux. Mélangez
tous les autres ingrédients secs.

Mélangez tous les ingrédients liquides, sauf la banane.
Écrasez la banane à la fourchette et incorporez-
la au mélange d'ingrédients liquides.

Combinez les deux préparations sans trop travailler la pâte.

Répartissez la pâte dans les moules à muffins. Répartissez
les morceaux de caramel dans les moules et enfoncez-les
dans la pâte avec un doigt ou à l'aide d'une petite cuillère.

Faites cuire les muffins 15 à 20 minutes, jusqu'à ce qu'ils soient
fermes, moelleux et bien dorés. Vérifiez la cuisson en piquant
une brochette en bois dans le cœur des muffins : ils sont cuits
quand elle ressort sèche (sauf si vous piquez dans le caramel).

Remerciements

Jean-Pierre Ahtuam
Steven Alan
Arlette Coron
Fabienne Coron
Gabriel Coron
Damien de Meideros
Vianney de Seze
Tore Dokkedahl
Jerry Grant
Roslyn Grant
Ingrid Janowski
Rachel Khoo
Benoît le Thierry d'Ennequin
Amaury Reboulh de Veyrac Blin de Grincourt
Jennifer Wagner
Andrea Wainer

Relecture : Natacha Kotchetkova
Traduction : Anne-Laure Devaux
© Marabout 2008
Dépôt légal : Février 2009
ISBN : 978-2-501-05979-4
40.2060.8/02
Imprimé en Chine par Leo Paper

Marc Grossman, alias Bob

Je beurre le moule.

Je remplis avec la pâte

Et hop ! au four !